Oot An' Aboot

The Broons

Scotland's favourite family are well known pioneers in the great outdoors. From Granpaw's bones predicting the weather, Daphne's endless driving lessons, or the Bairn helping Maw with a guid auld picnic, you can be sure to find The Broons enjoying some fresh air, adventure and exercise, whether it's down by the seaside, misbehaving at the park, or missing the bus and trekking back from the But an' Ben.

Oor Wullie

Auchenshoogle's most famous laddie is synonymous with cheeky outdoor adventures and finding trouble wherever he goes! When the wee lad's not climbing trees to escape a raging bull, running from irate wifies, or wading his way out of Stoorie Burn, you'll no doubt find him anywhere but indoors. Those tackety boots have seen more miles, muddy puddles and mishaps than any other pair in Scotland!

© DCT Consumer Products (UK) Ltd 2022
D.C. Thomson and Co. Ltd,
185 Fleet Street,
London EC4A 2HS

Printed in the EU.

"Up In The Mornin' Early, Boys!"

That Is The Song Paw Broon Enjoys.

Bairns Maun Keep Clean, You Bet,
Though Paw And Maw Get Very Wet!

Oor Wullie Says—"If It's A' The Same, When I Have Tae Camp, I'll Camp At Hame."

When They Left The Coach That They'd Been Stayin' In,

Folks Asked The Broons—Were They "In Trainin'"?

Oor Wullie's The Lad To Tell The Tale,

But He's Being Let Down By A Bad Female.

I'M GAUN TAE HAE GREAT ADVENTURES ON MA HOLIDAYS AT THE SEA-SIDE, JUIST LIKE ROBINSON CRUSOE ON A DESERT ISLAND! SEE YE WHEN I COME BACK!

AT THE SEA-SIDE.
NOW WULLIE, PLAY WI' WEE ALICE AN' DINNA GANG ONY DANGEROUS PLACES!

NOW LOOK HERE YOU, I'M GAUN ON A GREAT EXPLORING ADVENTURE,—AWA' AN PLAY WI' YERSEL'!
OH, PLEASE—WULLIE!

LATER.
JINGS! THIS IS A GREAT ISLAND!—I'M JUIST LIKE ROBINSON CRUSOE!

WEEL, I HAVENA CAUGHT ONY FISH TAE EAT, SO I'D BETTER GET HAME FOR MA TEA!

OH CRIVVENS! I'M STRANDED! THE TIDE'S COME IN!—WHIT'LL I DAE?

MA SHIRT'LL MEBBE BE SEEN BY A LIFE BOAT MAN, JINGS! IT'S COMIN' ON RAIN, AN' IT'S GETTIN' DARK!

HEY! SHIP AHOY! MAN OVERBOARD! SAVE ME!! I WANT MA MAW.—OH DEAR, THEY HAVENA SEEN ME!

WHEN THEY COME AN' FIND ME DEID,—THEY'LL PIT UP A MONUMENT—"THIS IS THE ISLAND WHERE THE GREAT EXPLORER, OOR WULLIE DIED." OH ME, OH MY!—I WISH I WIS IN MA BED!

HULLO!! WHAUR DID YOU COME FROM?—JINGS! I'M GLAD TAE SEE YE, ALICE—CAN YE RESCUE ME?
YES, IF YE'LL PROMISE TAE PLAY WI' ME THE MORN,—PUIR LADDIE, YE'RE A' WEET AN' COLD! PIT MY COAT AN' HAT ON!

A'RICHT, I'LL PLAY WI' YE, THEN!
COME ON THIS WAY TO BE RESCUED!
BLUSH

YE SEE! THE WATTER'S NO DEEP,—WE CAN WADE ACROSS!
MICHTY ME!!

NEXT DAY.
IT'S WONDERFUL THE CHANGE THAT'S COME OVER WULLIE! SEE HOW NICELY HE'S PLAYIN' WI' ALICE!
NOW YOU BE THE FAITHER AN' MIND THE BABY WHILE I GO SHOPPING!

BACK HOME
—AN' DAE YE KEN THIS,—I WIS LOST ON A DESERT ISLAND, AN' HAD TAE SHOOT SEA-GULLS TAE KEEP ALIVE!

HOO DID YE GET BACK FRAE THE ISLAND?
OH, I SWAM ABOOT FOWER MILES THROUGH SHARKS AN' CROCODILES AN' A BIG SWORD-FISH WI' A SWORD AS BIG AS—

—AS BIG AS THIS—
OH!!—HULLO ALICE!!

ER—WELL, ER—I'D BETTER RUN ALONG,—S'LONG, LADS!
BLUSH

NOW SHE'LL TELL THEM WHIT REALLY HAPPENED—WOMEN ARE AWFY!

Whaur's The Broons?   Wait Till Ye See 'Em!

They're All Locked Up In The Town Museum!

Wee Wull's A Coamic. Here You See 'Im Getting His Fun Even In A Museum.

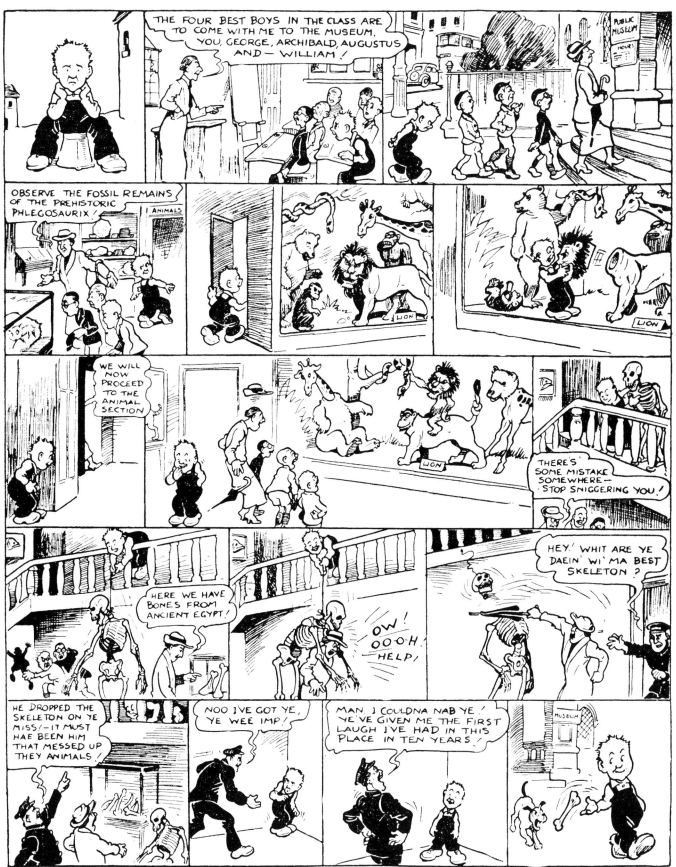

When Paw Went For His Fishing Hike,

He Didna Mean To Use A "Bike."

Wullie's Palled Up With A Masher.

He's A Society Gate-Crasher.

PC MURDOCH MYSTERIES

If ever there wis an expert in being oot an' aboot, it's oor very ain PC Murdoch. Pounding the mean streets (no' really) o' Auchenshoogle an' Auchentogle, this bobby in blue marches tae the 'beat' o' his ain drum (an' sometimes Sergeant Cramond's)! His fondness for fishing an' a richt guid hike in the hills mak' a nice change frae the tarmac trails o' toon. Whether foiling the latest robbery or masterminding a messages mission for his wife, Millie, Joe Murdoch kens a' aboot crime scene capers.

Did Ye Ever See The Like?

Ilka Broon On A Fancy Bike!

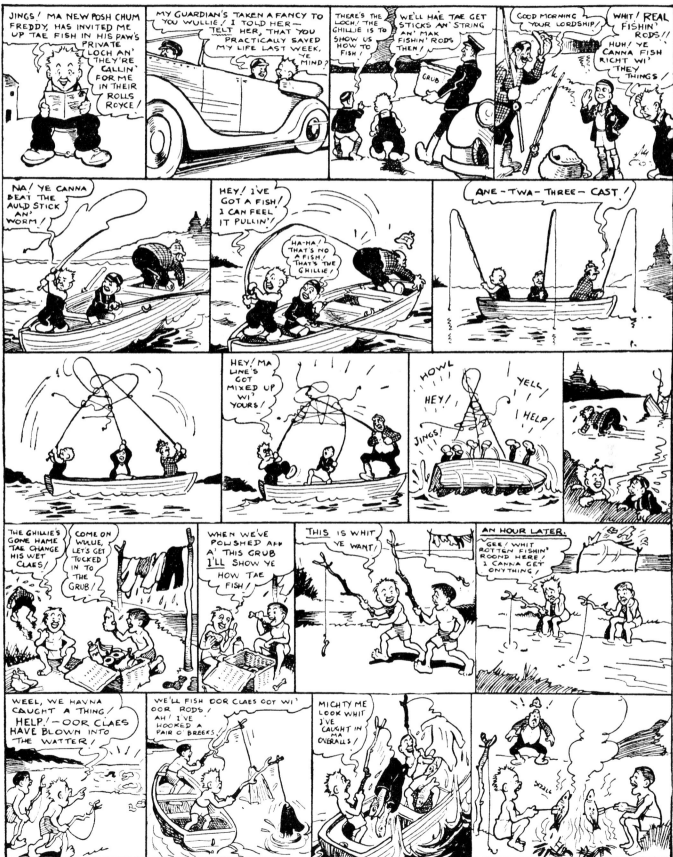

"L" Is For Learner, Who Doesn't Drive Well.

Grandpaw Shows He's Earned His "L."

Wullie Doesna Think It's Fair

To Have No Fare When The Weather's No' Fair.

Hen's Auto "Auto" Go —

But It Doesn't!

When Wullie Set Out Far To Roam
He Found Himself In " Home, Sweet Home."

With Gran'paw Broon, it's easy seen—

Why he's a Broon who won't turn green!

This problem has his chums well beat—

But Wullie's brains are in his feet!

Hard luck, the auld lads! Fine they ken—

They daren't "shoot a line" again!

Fat Bob an' Soapy stand and jeer—
There's something very fishy here!

I'LL AWA' DOON TO PADDOCKY POND TO FISH FOR MINNOWS!

JINGS! IS THAT THE BIGGEST YOU ANES COULD CATCH? WEE TIDDLERS!

WE'D LIKE TO SEE YOU DO ANY BETTER!

HUH! IF I DINNA CATCH ANY BIGGER FISH THAN THAT, I'LL GIVE UP FISHIN'!

RIGHT—WE'LL HOLD YE TO THAT!

I'LL BEAT THAE TIDDLERS, OR MY NAME ISN'T WULLIE!

INTO THE JAR WITH THEM NOW!

CRIVVENS! THAT LOT'S EVEN SMALLER THAN BOB AN' SOAPY'S!

ACH, I'M BOUND TO GET BIGGER ONES THIS TIME!

HELP! MORE WEE ANES!

LATER

NOT A WHOPPER AMONG THEM!

OH, JINGS! HERE'S BOB AN' SOAPY COMIN'! IF I DINNA GET SOME BIG MINNOWS QUICK, MY NAME'S MUD!

I'LL GO RICHT DOON TO THE BOTTOM THIS TIME! MAYBE THAT'S WHERE THEY'RE LURKIN'!

YIPPEE! I'VE CAUGHT SOMETHIN' BIG!

HELP! IT'S JUST AN AULD TIN HALF-FULL O' SARDINES!

HIYA, WULLIE! LET'S SEE ALL THE WHOPPERS YE CAUGHT!

ER—OKAY!

HURRY UP THEN!

COMIN'!

WE DINNA BELIEVE YE CAUGHT ANY!

WELL, I DID—

—LOOK!

HELP! WHERE DID YE GET THEM?

—OOT O' THON SARDINE TIN! HA-HA!

DUDLEY D WATKINS

Crivvens! What a big let-down—

Only one solitary Broon is brown!

Wullie's white, then broon, then grey —
He's a' the colours o' the day!

Sensation in toon!—

A Runaway Broon!

Wullie's feelin' very sore—

The world's not what it was before.

Oban, Killin, the Bonnie Braes —

Were all alike to Paw Broon's gaze.

It's raining hard, but the Broons don't care—

They're 'in-tent' on getting there!

An auld worn tyre wi' Wullie in it! —

There's trouble brewing any minute!

Black looks in more ways than one—

Come Paw Broon's way when he has some fun!

Here's a trick that's mighty fine —

For flying fish, a flying line.

Paw was stuck, without a doubt—

Till ANOTHER donkey helped him out!

Much to the neighbours' satisfaction—

Hen drives the family to distraction!

Wullie's tent goes up itsel' —

And does a few more tricks as well.

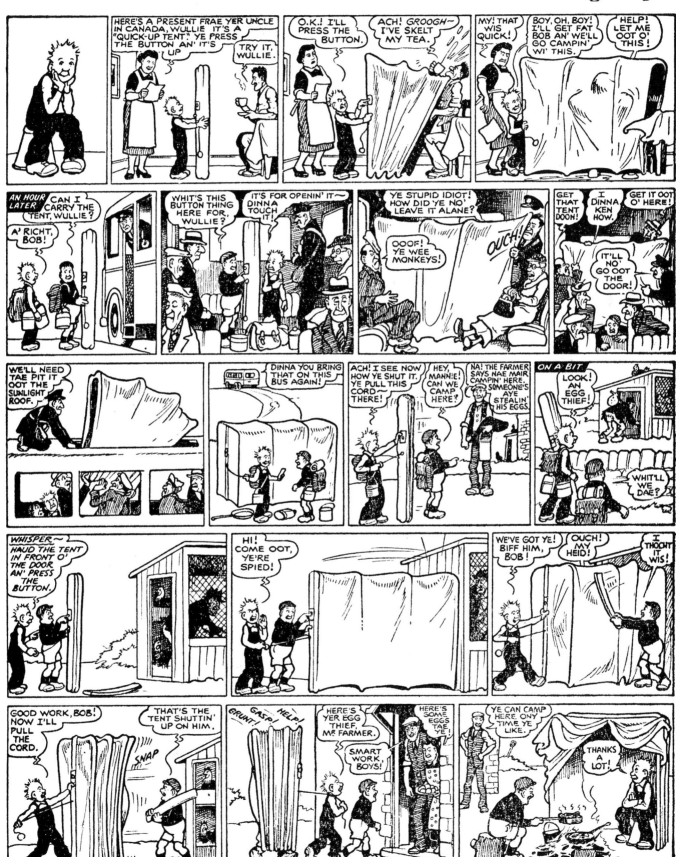

Maw and Paw get peace, today—

By GOING with the family!

A pot of gold Oor Wullie seeks —

And whit does he get?   A hole in his breeks!

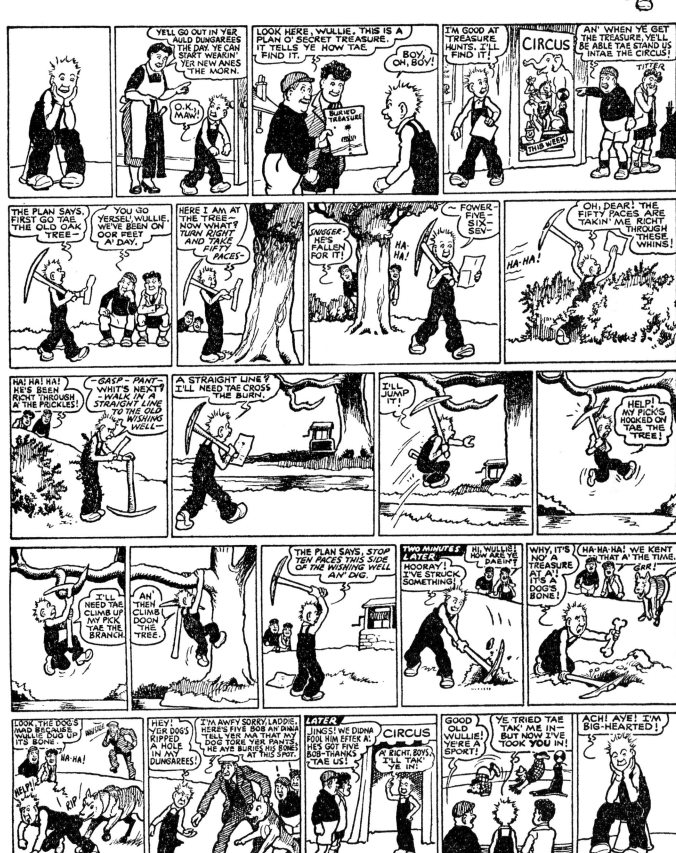

Look below if you want to see—

Funnier wrestling than on TV!

Wullie has everything to gain—
If he can only MISS that train.

No wonder Hen and Joe Broon glower—

Folk think their car is one horse-power!

PC MURDOCH MYSTERIES CHRISTMAS BEAT

PC MURDOCH MYSTERIES HAPPY NEW YEAR

Trust Granpaw Broon to use his head—

To get a first-class sandwich spread!

Wull's disappointment's hard to hide—
There is no sea at Waterside!

Take a look! Withoot a doot—

Here's a proper thorn-proof suit!

Puir Wullie disna see the joke —

He works a' day, but he's still broke!

Knees up, Father Broon..!

The auld lads think they're cute—

Until the tide goes oot!

A puff o' wind an' that auld joog'll—

Tremble, totter, shak' and shoogle.

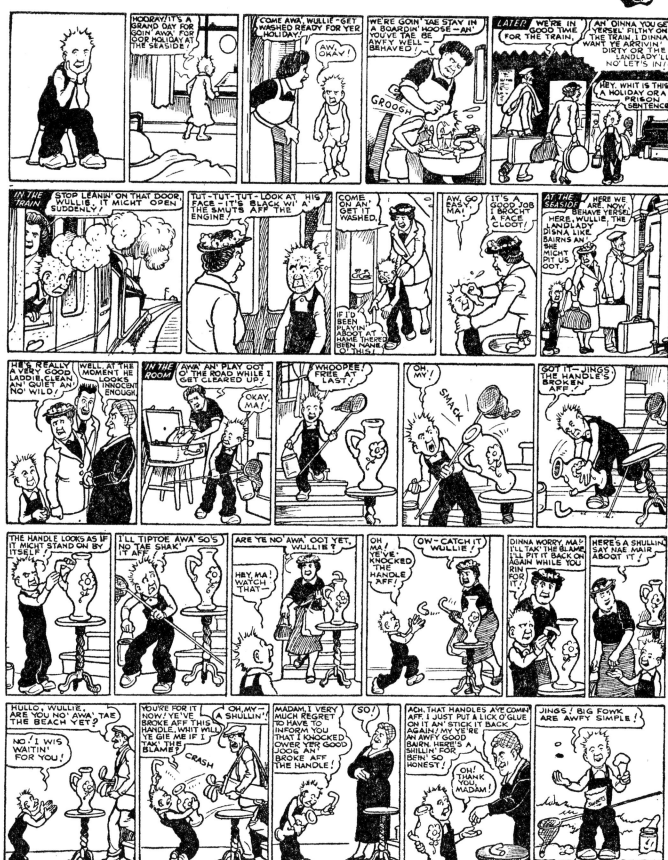

Through the fence go the Broons, full tilt—

And Ma has got her patchwork quilt.

When the shepherd's whistle goes peep! peep!—
Wullie finds what it's like to be a sheep!

Gran'paw's up, and Gran'paw's doon—

He's a most unsettled Broon!

Wi' haversack, Wull's back is bent—

He's off to see the Continent!

The Bairn's not in Maw's bad books—

But the others get the dirty looks!

Even withoot his dungarees,

Wullie can't sun-burn his knees.

The bus conductress doesna half—

Tell Paw Broon where he gets aff!

With Cousin Cecile—such a toff,

Wullie canna hit it off!

There's nae doubt that the true masters o' exterior escapades are oor beloved dugs — and Wee Harry is nae exception! Oor Wullie's very ain wily Westie kens his way — frae the wild hills o' the Heilan's tae the humble back gairden. Along wi' his pawtner in crime, Jock an' his ither four-legged friends, there's nothing that can stop this dug aboot toon frae digging up fun an' laughs every week in the pages o' The Sunday Post!

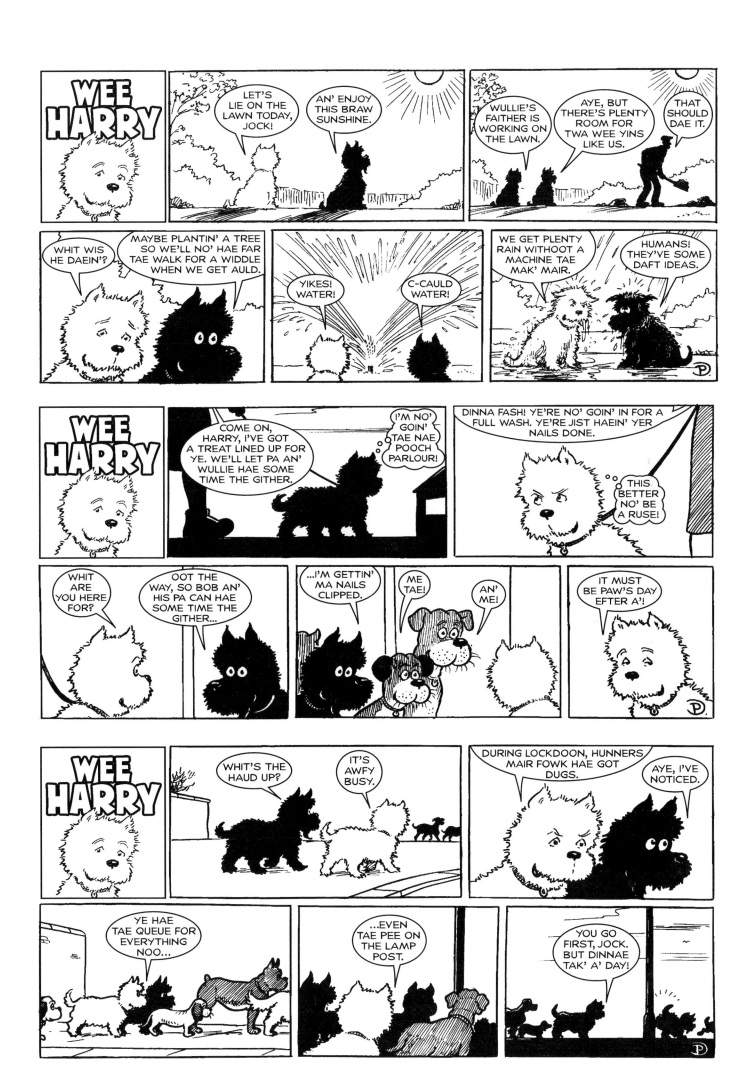

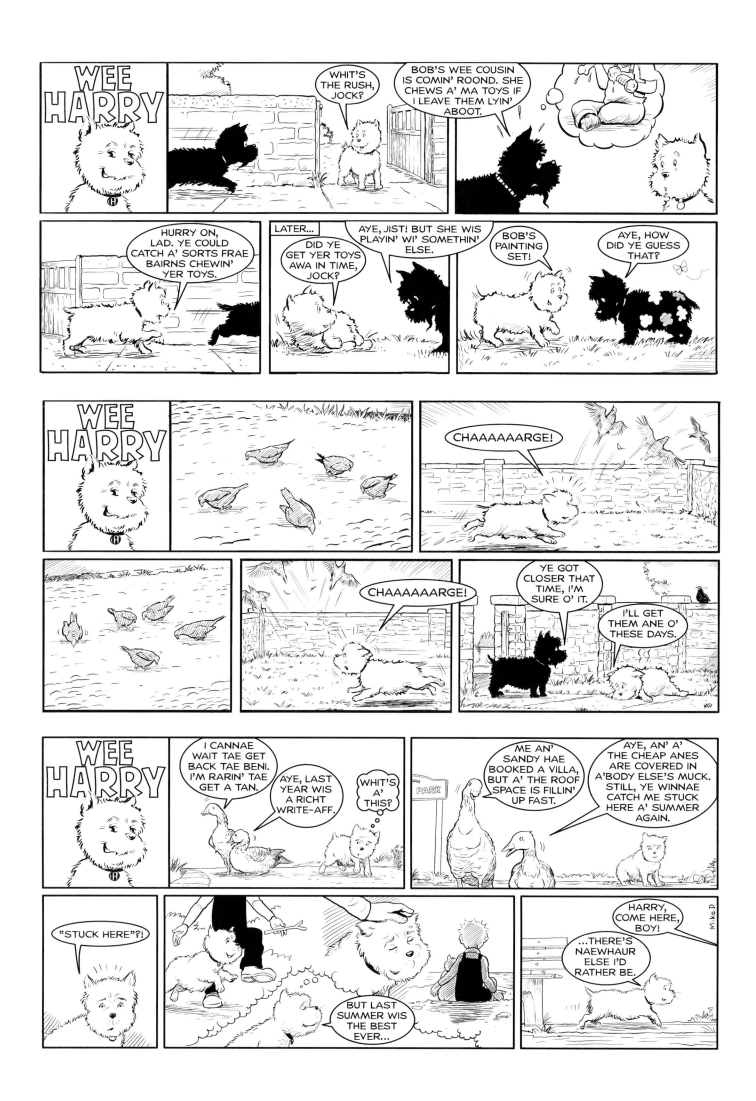

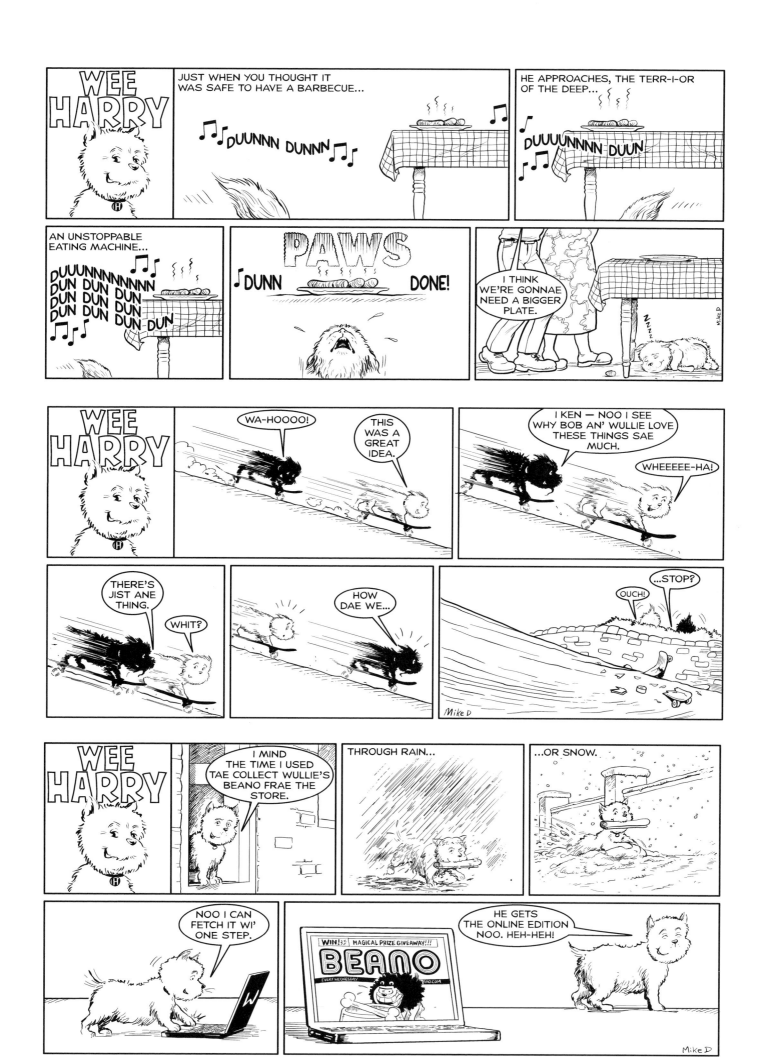

" You're no angler!" Wullie's told—

But in the end, oor lad hooks " gold"!

I'M AWA' FISHING IN STOORIE BURN.

HE'LL NO CATCH ONYTHING! THERE'S NO' BEEN A FISH IN STOORIE BURN FOR YEARS.

Wullies Hoose.

SOON—
YE'RE WASTING YER TIME, WULLIE!

BUT JUST THEN—
I'VE GOT A BITE!
EH?

OH, NO! AN AULD BONE!
HO-HO! THAT'S WHIT THE DOGFISH EAT!

I'LL TRY AGAIN!

I'VE CAUGHT SOMETHING ELSE, AN' IT'S HEAVIER THAN A BONE THIS TIME.

HO-HO! YE'VE GOT THE SCALES, NOW YE JUST NEED THE REST O' THE FISH.

ACH! THESE AULD LADS ARE RICHT. I'LL NO' CATCH ANY FISH HERE.

JUST THEN—
HEY! MY HAT!

GOT IT!

YE'RE A GOOD SPORT. TAK' THIS, WULLIE.
THANKS.

ON THE WAY HOME—
I'LL SPEND MY 10P AT THE FAIR.

MAYBE I'LL HAE MAIR LUCK FISHING HERE.
HOOK A FISH AND WIN A PRIZE!

SURE ENOUGH—
WIN
YE'VE HOOKED NUMBER SEVEN. YE WIN A PRIZE, SONNY.

CATCH ANYTHING FISHING, WULL?

AYE! A GOLDFISH!

A GOLDFISH! IN STOORIE BURN?

A missing key? Why a' the tizz?—

Paw knows exactly where it is!

See Wullie's slick picnic trick!

The day Paw Broon —

Let the family doon!

Hiram from the U.S.A.—
Meets his match in Wull today!

Mischief and cheek — sounds like the twins —

But hae a look — it's the ither yins!

Here's Oor Wull, that fly wee nipper—

Thinking he's a great sea skipper!

Here's a proper laugh, and how—

See wha's in that duckpond now!

Wullie's wet trip doon the watter —

is for him nae laughing matter!

PC MURDOCH MYSTERIES *RETIRED DUG*

PC MURDOCH MYSTERIES *LINE DANCE*

PC MURDOCH MYSTERIES *TURNIP STRIKE*

PC MURDOCH MYSTERIES *NEW BEAT*

Bingo or pictures, whit's it tae be?

Leave it tae Paw tae choose somethin' free!

Stand by for shocks—

At the castle stocks!

IN SCHOOL— AS A SPECIAL TREAT, WE'RE TO VISIT INVERLOCHIE CASTLE TODAY.

I'M LORD INVERLOCHIE. I'M GOING TO SHOW YOU ROUND.

THIS IS THE MAIN HALL.

JINGS! LOOK AT THAT STAIRCASE.

SOON— WHERE ARE WULLIE AND BOB?

YAHOO!

HELP M' BOAB!

REALLY, BOYS! BEHAVE YOURSELVES!

OUTSIDE— AND THESE ARE OUR ANCIENT CANNONS!

STOP PLAYING BOOLS WITH THE CANNON-BALLS AT ONCE!

THIS IS THE TROPHY ROOM!

BUT— THAT DOES IT...

ALLOW ME TO DEAL WITH THEM.

COME THIS WAY!

DUNGEONS

DO YOU SEE THOSE STOCKS?

Y-YES!

WHIT'S HE DAEIN'?

IT'S GREAT FUN TRYING TO KICK THIS BALL THROUGH THE HEAD-HOLE.

THAT'S THE WAY! I USED TO PLAY THE SAME GAMES AS YOU WHEN I WAS A BOY.

THON LORD INVERLOCHIE'S A REAL SPORT!

This new lad's nae catch . . .

for their fitba' match!

Travelling's fine, but a' the same

ye canna beat hame sweet hame!

I'D LIKE TAE SEE A BIT MAIR O' THE WORLD!

BUT YE CANNA GO FAR ON JUIST POCKET MONEY!

TRAVEL AGENT

WORLD TOUR

ONLY £2,500

NEVER MIND! I CAN AYE GO ON MY AIN WORLD TOUR RICHT HERE....

....STARTIN' WI' A TREK THROUGH THE DENSE TROPICAL RAIN FORESTS....

....O' THE GARDEN CENTRE!

NEXT IT'S A TRIP THROUGH THE *FRENCH* WINDOWS....

....INTO ALPHONSE'S BARBER SHOP! JUST THE USUAL, MON AMI!

PRICE LIST

TRAVELLIN' FAIR MAKS YE PECKISH! AN *INDIAN* CURRY NOW FOR ME!

BOMBAY DUCK INDIAN RESTAURANT.

ACH, I'M A' COVERED IN "GREECE"!

CHINESE LAUNDRY

SO, IT'S AN EMERGENCY STOP AT A *CHINESE* LAUNDRY!

NOW IT'S THE *CHILE* SHORT-CUT HAME...

....PAST A' THE *NORWAY* SPRUCE!

ACH, THERE'S NAE PLACE LIKE HAME, JEEMY!

AN INVITE ROOND FOR SUNDAY TEA . . .

PAW WONDERS WHAT THE BILL WILL BE!

KEN. H. HARRISON.

He leaps from the end —

wi' some help from his friend!

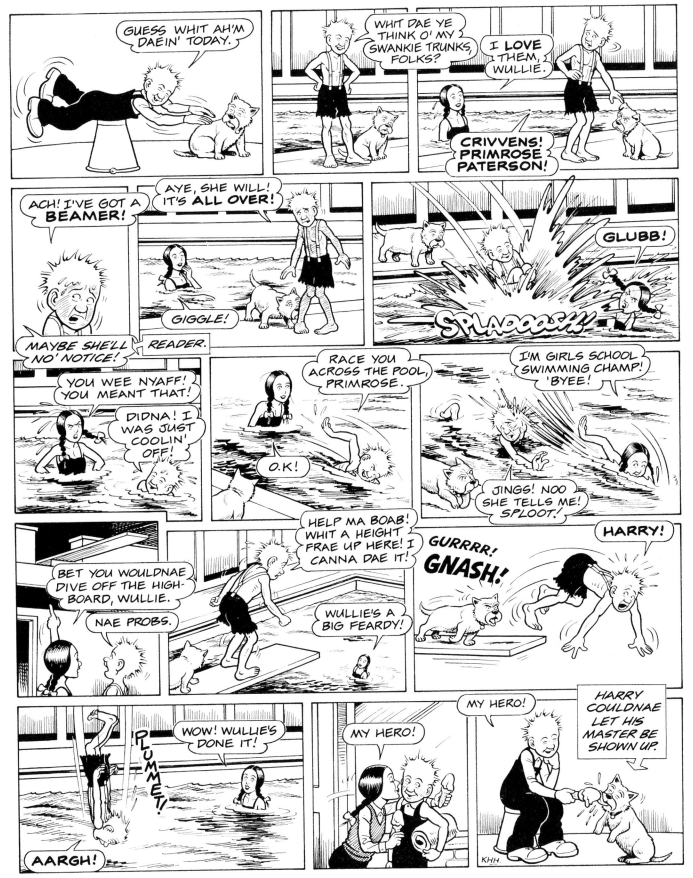

MICHTY ME! THEIR GRUB HAS GONE!

THE PLATES ARE CLEAN, WHAT'S GOIN' ON?

THE POOR AULD BUT 'N' BEN'S SUFFERIN' FRAE STORM DAMAGE. BUT WE'LL SOON FIX IT UP.

AFF WI' THE HATS AN' UP WI' THE SLEEVES!

VERY SHORTLY—

I'LL AWA' AN' MAKE SOME STOVIES FOR THE WORKERS.

SKIVER!

AYE! TAK'S HIM AGES TAE MAK' STOVIES.

I MAK' BRAW STOVIES COME AND GET IT WHILE IT'S HOT.

COME AN' CHECK WE'VE DONE THIS DOOR RICHT FIRST.

BRAW! WELL DONE! NOW COME AND GET YER STOVIES.

YE DINNA NEED TAE TELL US TWICE! WE'RE FAMISHED!

BUT—

SOMEBODY'S BEEN EATING MY STOVIES!

?

AND MINE!

WHIT KIND O' TRICK IS THIS, GOLDILOCKS?

IT'S NO'... HONEST! LOOK MY STOVIES HAVE GONE AN' A'!

WHIT ???

BURP!

SHORTLY—

HA! HA! THAT WAS NAE HAT-STAND. IT WAS A STAG COME IN TAE SHELTER FRAE THE STORMS.

AYE. AN' HE KENS A GUID PLATE O' STOVIES WHEN HE SEES ANE.

KEN. H HARRISON

It's awfy early! What's Eck said?

Och, Wull wid rather be in bed!

EARLY TAE BED AND EARLY TAE RISE IS THE WAY

TAE BE HEALTHY AN' WEALTHY AN' . . . ZZZZZZZZ!

The Highland Games seem jist rare . . .

. . . for a laddie wantin' tae keep his hair.

MAW BROON GOES TAE JUST MAK' SICCAR . . .

. . . AN' SEE WHA HELPS THE LOCAL VICAR!

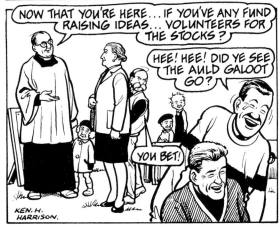

Fishing tips . . . fly, worm or guddle?

Or maybe just a kiss an' a cuddle?

GRANPAW THINKS IT'S A' WORTHWHILE

IN HIS SEARCH TAE BE IN STYLE!

Help ma boab! To Wull's dismay

he finds he's haein' a SMASHIN' day!

KHH.

MICHTY ME! HEN'S IN CONTENTION

TAE BE THE CENTRE O' ATTENTION!

Through the woods, see Wullie roam.

Jist how quick can he mak' it home?

WHAT A NOISE! WHAT'S THE MATTER?

IT LOOKS LIKE THEY'RE AFF DOON THE WATTER!

KEN. H. HARRISON.

A front door step, a hat, a seat —

Oor Wullie's bucket's hard tae beat!

Tired o' Scotland in the rain —
 The younger ones are aff tae Spain.

A giant-sized umbrella –
for an image-conscious fella!

The Broons a' agree –
on the worst thing they see.

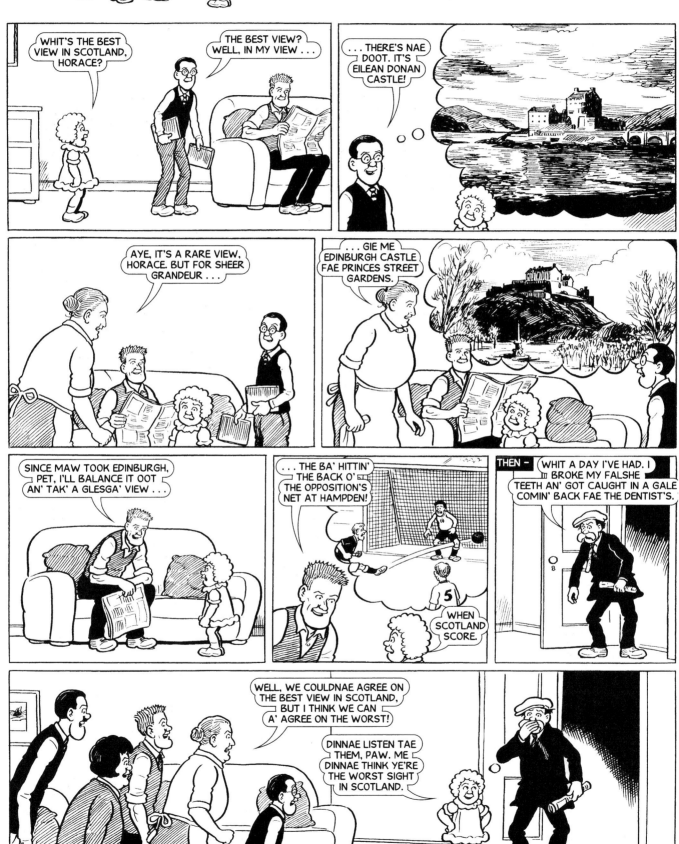

HOW COULD WULLIE'S BUCKET PAY FOR A FIVE-STAR HOLIDAY?

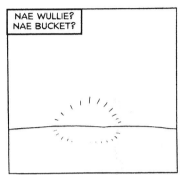

NAE WULLIE? NAE BUCKET?

WHAUR'S MY BUCKET GONE?

SEEN ONY BUCKETS, POSTIE?

SORRY, WULLIE, BUT THERE'S A POSTCARD THAT MICHT CHEER YE UP.

JINGS! MY BUCKET'S RAN AFF TAE SEE THE QUEEN.

Buckingham Palace

NEXT DAY...

ANOTHER POSTCARD FOR YE, WULLIE.

WHIT, ANITHER?

IT'S IN FRANCE, NOO. I DIDNAE KEN IT HAD A PASSPORT.

PARIS

AND...

WHAUR'S IT GOT TAE, NOO?

IT'S SUNNIN' ITSELF IN MAJORKY!

Majorca

NEXT DAY...

I KENT MAIR WOULD COME!

JINGS! THE LEANIN' BUCKET O' PISA!

PISA

I WONDER HOW A SINGLE BUCKET CAN SAVE UP A' THAT TRAVELLIN' MONEY.

IT'S A MYSTERY, IS WHIT IT IS.

OCH, WAIT. MAYBE IT'S NO' THAT MYSTERIOUS!

5 DAY WHIRLWIND TOUR OF EUROPE

AT BOB'S...

AS I THOUCHT... THEY'RE SUSPICIOUSLY AFF ON HOLIDAY.

THAT NICHT...

AND...

HELLO! YE'RE BACK!

OCH, YE SHOULDN'T HAE.

MY BUCKET'S GLAD TAE BE HAME AN' IT'S WELCOME BACK!

Joe thinks he will be all right —

Ootside in the cauld a' night.

OOR WULLIE'S LEFT SHINING AFTER A DAY O' GOLD MINING.

Paw's swimsuit style –

hasnae changed in a while.

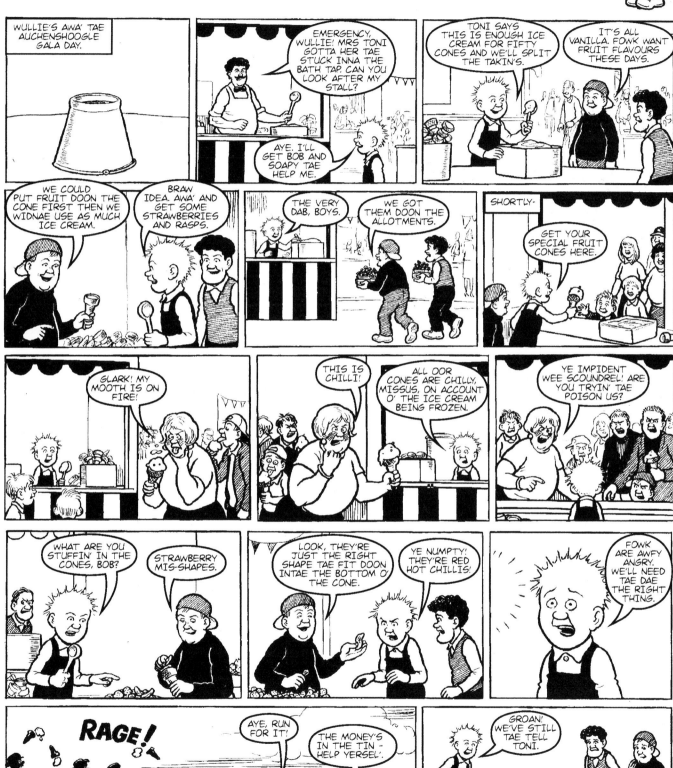

The Broons are off tae Spain –

if they can catch the plane.

SWIMMING IN SCOTLAND'S SEAS, MICHT WELL MAK' A BODY FREEZE.

Who'd hae thoucht the twins wid be —

At hame wi' aristocracy.

WULLIE'S ACCIDENTAL STUMBLE,
PUTS AN END TAE TUMMY RUMBLE.

A picnic in the open air?

Only if the weather's fair!

Wilderness is fine, but a' the same,

best no' tae wander far frae hame!

KEN H. HARRISON

Paw thinks he winna tan —

he's an awfy silly man!

Hurlin' haggis, he loses traction,

settin' aff a chain reaction!

You'll a' laugh a lot . . .

. . . at the farm Calum's bought!

Wullie dreams o' landin' a whopper . . .

. . . but, very soon, he comes a cropper!

HE'S AT SCHOOL . . . FOR ONCE!

AND, IN THE AFTERNOON, OUR NEW HEADMASTER WILL ADDRESS THE SCHOOL. NOW, WHERE'S WILLIAM?

HE WIS CALLED TAE GO TAE THE HEADMASTER'S OFFICE, MISS. HE SAID HE WIS GETTIN' LINES, MISS!

THIS IS A' VERY WELL . . . BUT I DINNA' EVEN KEN WHIT I'M GETTIN' LINES FOR!

HEADMASTER

I JUST WISH I COULD BE OOT THERE, FISHIN' — JUST LIKE YESTERDAY . . .

ACH! NO' A SAUSAGE!

NOT MUCH FISHING TODAY, IS THERE?

NAH! BUT IT'S BETTER THAN BEIN' AT SCHOOL!

STILL, NEVER MIND. FOLLOW ME, MISTER, AND I'LL SHOW YE WHERE TAE GET PLENTY O' FISH!

HALF A MILE LATER . . .

HERE WE ARE! THERE'S LOADS O' TROUT HERE! ER, DINNA' WORRY ABOOT THE SIGN . . . NAEBODY BOTHERS YE HERE.

PRIVATE NO FISHING

THIS IS THE BUSINESS, EH? IT SURE BEATS WORKIN'.

YES, INDEED!

LATER . . .

HOI! YOU ANES! THIS IS A PRIVATE BIT O' RIVER!

THE KEEPER! LEG IT!

BUZZZ!

AN' THAT WIS IT! NAE FISH, LOST A' MY GEAR, DISASTER!

— AN' NOW ANOTHER DISASTER!

JINGS! IT'S YOU! YOU'RE THE NEW HEID!

HEADMAS

WHISPER: HERE'S YOUR LINES YOU LEFT BEHIND, WILLIAM — ER, JUST IN CASE ANYONE ASKS WHAT YOU WERE HERE FOR. AND WE'LL SAY NO MORE ABOUT IT, EH?

WHIT? OH, I SEE . . . WE'VE NEVER MET BEFORE.

LOOKS LIKE THE NEW HEADMASTER'S NO' A BAD OLD TROUT! HO-HO!

WINK!

KEN. H. HARRISON.

THE NEW SUPPLY THAT PAW DEVISES

SURE IS FULL O' WEE SURPRISES!

Wull's sandwich takes the lads aback.

It really is a monster snack!

A family outing by train sounds good —

— but it leaves Paw Broon in an awfy mood.

Packed an' ready for the week's . . .

. . . holiday 'midst hills an' "leeks"!

THE BUS RIDE JUST GOES ON AND ON . . .

THE BROONS BEGIN TAE YAWN AN' YAWN . . .

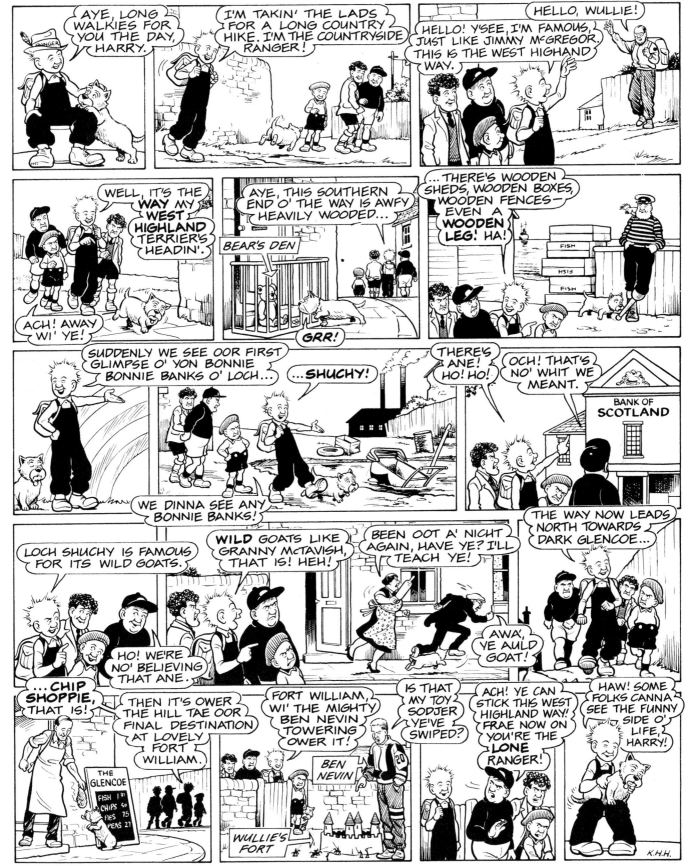

Oor Wullie's Big Bucket Trail ADVENTURE

Oor Wullie's BIG Bucket Trail ran for 11 weeks from 17th June – 30th August, 2019, culminating in a series of farewell events and nationwide charity auctions in each of the five host cities — Glasgow, Edinburgh, Dundee, Aberdeen and Inverness.

Scotland's first ever nationwide art trail, Oor Wullie's BIG Bucket Trail championed being oot an' aboot in the best possible way! With over 200 statues scattered around Scotland, over 1.5 million people visited public locations like galleries, transport hubs, and city streets, 'collecting' each unique sculpture by adding a special code to a dedicated app.

Each statue was individually designed and painted, with themes ranging from famous Scots and monuments to messages about protecting nature and celebrating our natural and urban environments and industries.

Not only did it get a'body on their feet and on the hunt, the trail also raised £1.29 million for Edinburgh Children's Hospital, Glasgow Children's Hospital, and the Archie Foundation.
Noo there's a guid reason tae get oot an' celebrate!

ARNOLD CLARK TIMELINE WULLIE
Artist, Taylor McTaggart's design was inspired by the history of Arnold Clark, and depicts Oor Wullie as an employee with his bucket adorned with the company's major milestones.

Oor Wullie's Big Bucket Trail

Lots of Scottish businesses got in on the act, helping make the event a huge success. Oor Wullie even paid a visit to the Big Bucket Trail's national sponsor, Arnold Clark...

> I'M GONNAE HAE A GO AT BEIN' A VALETER. I'VE EVEN BROUGHT MA AIN BUCKET!

> A' FILLED UP AN' RARIN' TAE... GOAAARGH!

MANAGER'S OFFICE

> JINGS! I'LL NEED TAE GET INTAE SOME DRY CLAES.

> THESE'LL DAE!

> THE VERY DAB!

> EXCUSE ME, I'D LIKE TO BUY THIS BRAND-NEW CAR, PLEASE.

> NAE PROBLEM, SIR.

> WHA WOULD HAE THOUGHT IT? TURNS OOT I'M THE BEST SALESPERSON EVER... ...EASIER THAN SELLIN' A SECOND-HAND CARTIE TAE WEE ECK!

Oor Wullie's Big Bucket Trail

STORY: LUCY SWEET ART: CONOR BROOME

You can read more Oor Wullie Big Bucket Trail Adventures over the page.

In a rare moment of generosity, Sergeant Cramond granted PC Murdoch some well-earned time off. Auchenshoogle's finest took a break from his weekly comic strip slot in The Sunday Post to make way for Oor Wullie and his pals for the duration of the Big Bucket Trail. The following cartoons saw Wullie oot an' aboot an' on the trail for ten weeks in 2019.

The fun's always hearty—

When HE'S at a party!

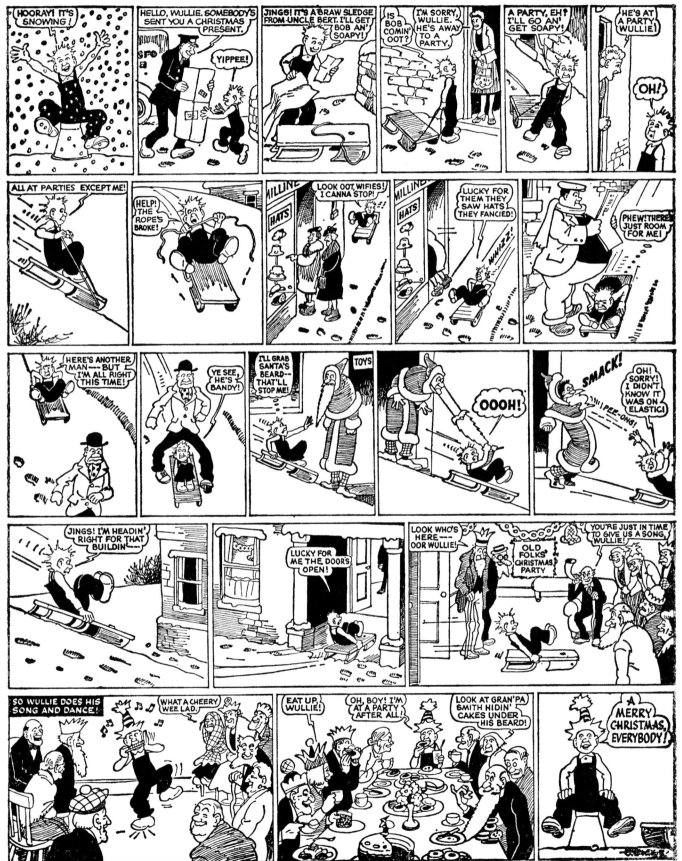

Since their debut in The Sunday Post in 1936, The Broons and
Oor Wullie have seen countless changes in the world around
them. But a taste for adventure and an uncanny knack for
mishaps leave Scotland's favourite son and family truly timeless
when it comes to entertainment!

So next time you're oot an' aboot, whether in the local park
with your wee dug, chasing after him chasing after squirrels,
racing your souped-up cartie, or off in the Highlands
desperately searching for a bothy in the driving rain, pull on
your tackety boots, grab your bunnet and ask yourself —
whit would Granpaw Broon dae?

THE *BROONS*